COLLEZIONE DI POESIA

249.

Questa raccolta è stata curata da Mauro Bersani

© 1995 Giulio Einaudi editore s. p. a., Torino

ISBN 88-06-13671-2

NUOVI POETI ITALIANI
4

Maria Angela Bedini
Ivano Ferrari
Nicola Gardini
Cristina Filippi
Elisabetta Stefanelli
Daniele Martino
Pietro Mazzone

Giulio Einaudi editore

La serie dei *Nuovi poeti italiani*, all'interno della «Collezione di poesia» einaudiana, è cominciata nel 1980 e ha tenuto uno scoppiettante ritmo biennale fino al terzo volume. Poi, dall'84 a oggi, un lungo silenzio. Voci di morte precoce dell'iniziativa sono circolate, tutto sommato legittimamente. Non che in casa editrice l'attenzione verso i giovani poeti si fosse affievolita: nella «collana bianca» sono usciti autori, allora emergenti, come Gianni D'Elia e Patrizia Valduga. Ma l'idea dei volumi collettivi si è persa per strada. Dopo tanto tempo, questo quarto volume dei *Nuovi poeti italiani* nasce da una riflessione programmatica circa le ragioni iniziali della serie. Di certo l'attenzione einaudiana verso poeti non ancora laureati continua e continuerà ad essere fatta anche con libri interi, e a testimoniarlo sono due casi recentissimi, cioè quelli di Enrico Testa e Gabriele Frasca. Ma una lettura ravvicinata e suggestivamente comparata di una serie di nuovi autori ha un interesse e, speriamo, un fascino in piú. Significa entrare in un laboratorio pluridirezionale, verificare assonanze e contrasti, testimoniare un lavoro ma forse anche darne il senso, o tracce di senso, collocandolo in un arco di possibilità alternative.

Riprendendo in quest'ottica l'idea dei *Nuovi poeti italiani*, era necessario aprire il ventaglio della raccolta, renderla ancora piú eclettica delle precedenti. E questo si è fatto, senza peraltro giungere a un documentarismo agnostico. C'è stata, sí, una punta di «politically correct», anche nella ripartizione geografica degli autori e nella suddivisione (quasi pari) tra uomini e donne. Ma il tutto è nato, doverosamente, da criteri di gusto: da una partecipata selezione di materiali arrivati in casa editrice negli ultimi tre o quattro anni, tenuti via via da parte, confrontati con altri, letti e riletti cercando di coglierne la specifica forza espressiva, la ricerca stilistica individuale.

Se nell'antologia hanno trovato spazio sia poeti «neoromantici» con il culto mistico della parola, sia poeti minimalisti affezionati all'anticanto e all'ironia, è perché entrambe le vie sono sembrate efficaci per farci arrivare delle voci intense e non comuni. E d'altra parte non solo queste due principali tipologie della recente poesia italiana sono qui rappresentate. Un libro come questo, se per un verso induce a schematismi classificatori, per l'altro mostra la necessità di superarli toccando direttamente la singolarità delle esperienze poetiche, verificandone le sfumature di genere e di tono. La convinzione è che, precocemente storicizzati gli ultimi modelli forti di poesia novecentesca (ad esempio Zanzotto, pur nella sua evoluzione), occorra ripartire da una disseminazione di proposte e atteggiamenti poetici il piú possibile diversi fra loro. Cercare «piccole verità» che possano scalfire da fronti diversi il pericolo delle buone maniere letterarie, sempre piú omogeneizzate, vera malattia del fare poetico odierno.

Nessuna censura di tendenza, dunque, e nessuna censura anagrafica. L'antologia non è di «giovani poeti», categoria che rischierebbe di diventare grottesca quasi quanto quella, continuamente usata, di «giovani scrittori». Piuttosto gli autori presentati, ventenni, trentenni o quarantenni, dovevano, questo sí, non avere pubblicato per case editrici a diffusione nazionale. Ciò perché solo la scelta di materiali piú o meno vergini poteva permettere di proporre una lettura del libro ad etichette azzerate, almeno in partenza; una discussione non troppo indirizzata.

Quella di Maria Angela Bedini è poesia seduttiva. Attira il lettore (in qualche modo implicato nel *tu* grammaticale che domina quasi tutte le poesie, anche se il referente pronominale lo trascende verso altri significati, come l'assenza, o la morte) in un vortice di suggestioni, da quelle foniche, molto intense e immediate, fino a quelle erotiche. Il *trobar clus* prescelto non è ermetico sottrarsi, ma al contrario decisa profferta sirenica. I versi della Bedini sono messaggi cifrati che accumulano attrattive sensuali. Nonostante quest'autrice usi tutti i piú sofisticati strumenti dell'oscurità (dalle ellissi alle associazioni estremisticamente analogiche, dalla reinvenzione del vocabolo raro alla deformazione sintattica) i suoi versi sono, immediatamente, bei versi. In altre parole, se è poesia iniziatica (e in qualche modo lo è), si tratta di iniziazione ricca di lusinghe che non rinuncia mai a un istintivo piacere del testo.

Il tono è alto ma non atteggiato all'oracolare. E questo perché l'autrice non intende trasmettere contenuti sapienziali. Il suo passo è quello di una ricerca. La sua voce si manifesta forte ma non per pronunciare verità. Semmai per raccontare (c'è sicuramente, nell'insieme delle poesie, una dimensione narrativa, anche autobiografica) il disgusto della superficie, l'attesa di un evento salvifico, l'inseguimento della parola oltre il suo limite di nulla e di destino. In definitiva, un approccio poetico molto estetizzante che al fascino proprio aggiunge oggi, per sovrappiú, quello della fuga controcorrente.

Con il poemetto *Macello* di Ivano Ferrari l'effetto di dissonanza rispetto ai versi della Bedini è piuttosto notevole, anche se la scelta di un registro forte è comune ad entrambi i casi. Qui la parola, anziché purificarsi verso l'alto, cerca la poesia in basso. Il contenuto referenziale è del tutto trasparente: quelle che si susseguono sono le crude immagini di un mattatoio. Il ritmo dei versi non dipende da intrecci di sonorità, bensí dal peso del lessico. Ogni «lassa», quasi ogni verso ha un suo ictus determinato da una provocazione lessicale, che è poi una provocazione tonale, quindi psicologica, ed è anche, o soprattutto, un'immagine visiva. Lo stesso effetto, apparentemente contrario, è ottenuto tramite le didascalie tecniche con cui, tra parentesi, le immagini e le trasposizioni metaforiche vengono repentinamente frenate e raffreddate da minute notazioni professionali: una sospensione nella pronuncia è praticamente obbligata, come il conseguente innalzamento emotivo. Insomma, un esempio lampante ed efficacissimo di ritmo determinato «contenutisticamente».

Una *Morgue* in formato animale? Anche, ma il senso dell'operazione sembra assai diverso da Benn. Nel *Macello* di Ferrari la carne è calda, pulsante, liquorosa. La poesia di questo autore non è da tavola anatomica, il suo espressionismo è piú lombardo, testoriano. Il suo macabro è percorso da sensi di colpa e da un'implorazione di spiritualità. Tuttavia, se si tratta di poesia eccitata (il poemetto si conclude, tra l'altro, con «una goccia di sperma» che finisce nella vasca del sangue), non è priva di un suo understatement che la rende dinamica e ancora piú vigorosa.

Anche la sezione dedicata a Nicola Gardini, pur nella varietà formale delle parti che la compongono, è una sorta di poemetto fortemente monotematico. L'argomento è in apparenza molto privato, e cioè la patologia allergica dell'autore con tutte le possibili estensioni, nosografiche, psicologiche e meditative. Si respira un'aria postmoderna: per parlarci dei suoi raffreddori da fieno, Gardini recupera con sapienza metri e toni della poesia classica e volgare, dal verso tragico alla sestina, all'ode saffica. L'operazione è sí ironica, ma non solo. È qualcosa di piú complesso. Intanto, la rivisitazione della tradizione non è pacifica. Gardini violenta i metri che usa: il suo endecasillabo ha tutte le scansioni piú rare e meno melodiche (frequentissimi gli accenti in 3ª e 5ª sede, versi tronchi con monosillabi in 10ª); nella sestina adotta una rima derivativa; la sua saffica barbara è sia carducciana che pascoliana, e nello stesso tempo del tutto originale. Insomma, la scelta di metri canonici non è affatto rinuncia a una creatività formale. Dall'altro corno, quello tematico, l'abbassamento del discorso è piú di superficie che reale. Il canto della malattia viene costruito allegoricamente e prende l'aspetto di un lamento contro la vita e i suoi aspetti «naturali» (primavera come fecondazione, crescita, cambiamento, ecc.). La ricorrente entrata in scena del mitico Ippolito, uomo della natura ed emblema di verginità, oggetto di identificazione invidiosa dell'io, sigla la cifra tragica del poemetto ribaltandone l'intimismo di facciata. Gardini ci mostra avvisaglie neocrepuscolari, ma ancora dominate da un senso di poesia forte, irriducibile al solo aspetto parodico o citazionista.

La poesia di Cristina Filippi parrebbe tendere al torpido, a un'estasi discreta e amabilmente sonnolenta, salvo inarcarsi all'improvviso per forza di metafora. I versi di questa autrice hanno un ritmo interiore quasi spastico dato dalla stilizzazione imagista e dai sussulti delle immagini figurate. I modelli poetici orientaleggianti o anche, data la biografia della Filippi, orientali autentici, di prima mano, spiegano la predilezione per la sintassi nominale, i versi brevissimi e gli esercizi di haiku, ma c'è una sensibilità che va oltre la maniera, che forse nasce proprio da un contrasto di culture. La disciplina alla descrizione, l'accettazione, l'annullamento nei dati naturali vengono percorsi da un dispiegarsi del sentimento che, per quanto pudico, è il vero metronomo di queste poesie. Dunque le immagini non sono mai distaccate, mai oggettive, mai neutrali. La calma che si ostenta e a cui si tende contiene accensioni continue che, inevitabilmente, si coagulano in alcuni momenti di forte asprezza e di suggestivo scarto tonale. Cristina Filippi scrive versi carichi di sensi (la sinestesia è una delle sue figure preferite) e di senso (ambiguità e polisemia sono ricercate fin dal titolo della scelta di poesie: *Grata d'ombra*). E quando gioca alla composizione astratta, forza il gioco e lo trasforma in altra cosa, dandogli un tocco di deliziosa naïveté.

Alla Filippi può essere parzialmente accomunata Elisabetta Stefanelli, che pure, e ancora di piú, ama costruire i suoi versi in forte sintassi nominale. Ma le immagini della Stefanelli sono intinte in una vena piú concettuale, che sbocca quasi per natura nell'epigramma. Un epigramma sui generis, dalla clausola che è essa stessa un'immagine anche se implica, o piú spesso suggerisce, un contenuto sentenzioso. Il gruppo di poesie può essere definito una riflessione sulla coppia costruita a rapidi flash. Scene di letto ma anche di passeggiate in moto. Intimità perplesse, «illanguidite quotidianità» tra superamenti di sé e irredimibile solitudine. I versi procedono alternando focalizzazioni e distrazioni dello sguardo (e dell'animo). E in questo andamento si insinuano le definizioni, un marchio, peraltro quasi sempre molto sospeso, di interpretazione. Spesso è un distico finale a bruciare la scena e a trasportarla sul piano della riflessione: un due tempi da mottetto montaliano che ha il pregio di non essere mai bassamente didascalico, riaprendo il discorso su un altro livello, senza chiuderlo.

A questo banchetto di immagini e di trasposizioni meditative è presente un convitato di pietra, un'entità non nominata, non inquadrata, anche se l'obiettivo, puntando altrove, la incalza. In alcuni casi di soggetto mancante se ne avverte la presenza-

assenza grammaticale. Dare un nome a quest'assenza (per esempio, vita) può riuscire del tutto banalizzante. Ciò che conta, in
queste poesie, è la loro organizzazione a sguardo ravvicinato che
si svela finto, pura strategia antifrastica: apparente teleobiettivo,
in realtà grandangolo.

Fra tutti i poeti di questa antologia, Daniele Martino è quello
che piú evidentemente ostenta, se non un modello, un poeta
preferito: e questo poeta è Gozzano. Manipolazione manieristi-
ca del linguaggio, controcanto ironico alle ipotesi di sublime
poetico, ambivalenza affettiva verso il tono patetico amato e pa-
rodiato: tutto ciò, in effetti, può far presentare Martino come un
legittimo pronipote del suo concittadino di inizio secolo. Ma il
gozzanismo di questo autore non è né filologico né, comunque,
museografico. Martino parte di lí per fare un discorso poetico
strettamente contemporaneo, postmoderno. Di fronte a sé non
ha D'Annunzio, non ha un riferimento vincente con cui con-
frontarsi: ha invece una cultura sgretolata e disseminata, in cui
Petrarca, i Salmi, Gadda o Freud sono allineati accanto a Prince
e a Lucio Battisti. Il poeta – sembra dire Martino – non può
creare piú nulla se non citando, variando, colloquiando (gozza-
nianamente) con i frammenti di cultura che ha intorno. Ecco,
dunque, gli exergo che introducono molte delle poesie. Ma tutte, in realtà, esplicitamente o implicitamente, partono da una ci-
tazione (quasi sempre riconoscibile: Martino non tiene affatto a
fare un esoterico gioco di società): l'insieme di queste voci altrui, ma ormai sue, interiorizzate, è il basso continuo, l'ossessio-
ne ripetitiva (da qui, anche, il titolo della sezione: *Minimale*) su
cui nasce la melodia, il canto vero e proprio, autoanalisi antieroi-
ca da melodramma sentimentale. Perché questa poi è l'istanza
ultima dell'autore: da tutto il gioco di specchi alla fine emerge
Narciso. Emerge il poeta che, un po' frastornato per le « voci di
dentro », non rinuncia a mostrarsi e a offrirsi. Un io diviso che
vuole ancora, disperatamente, essere un io.

Un passo ulteriore (estremo?) in direzione minimalista è
rappresentato dalle poesie di Pietro Mazzone. Qui la dimensione dell'io è praticamente azzerata. I testi sono seriazioni e va-
rianti di piccoli nuclei narrativi all'insegna della massima quoti-

dianità. Melodia zero. Sembra di ascoltare una composizione di Philip Glass, con le sue iterazioni-elaborazioni di frasi infinitesimali.

Mazzone tende all'antisistematicità e alla non gerarchizzazione delle forme, delle idee. I suoi versi cercano di cogliere un flusso, sono un flusso verbale a basso controllo; eppure non privo di capacità di significare. Nell'insieme, perché una storia, piú storie a poco a poco si dipanano, comunicando di poter proseguire all'infinito; e nel singolo testo (ma sul basso valore da dare al termine «singolo» stanno i tre puntini all'inizio e alla fine di tutte le poesie), in cui si verifica sempre un piccolo evento, un romanzo virtuale, anche in questo caso, a proiezione infinita.

Opposti estremismi. Tanto Martino sa costruire versi dal metro sicuro e dalle rime pregnanti, tanto Mazzone dà vita a versi del tutto prosastici. Ma anche i suoi sono fortemente versi. Hanno, in relazione alle poesie, lo stesso rapporto che c'è fra poesia e insieme potenziale dei testi. Ogni verso è un frammento di storia, ha il suo ritmo, il suo tono e le sue leggi in sé: è l'antitesi di ogni esperimento di scrittura automatica.

Detto cosí, tutta la premessa asistematicità sembra molto sistematica. In realtà, qualche salutare scompiglio non manca, primo fra tutti quello provocato da una voce estranea che si affaccia a tormentone a dire di una corsa, di un distacco da recuperare, di un terzo posto da raggiungere. È solo un'altra storia? È il Leitmotiv (addio Glass)? È una metafora che ristabilisce un contatto diretto fra l'io (che rientra) e il lettore? Ovviamente i punti interrogativi vanno lasciati, pena svilire una poesia che ha nell' «apertura» la sua caratteristica piú interessante.

Sui sette autori ho forse detto anche troppo. Piacerebbe che, in questa antologia, incroci e connessioni fossero a discrezione del lettore. Se un percorso di lettura è stato tracciato in queste pagine, che sia solo uno dei possibili. Dopo aver letto le varie sezioni da Bedini a Mazzone, le si rilegga da Mazzone a Bedini, o si facciano dei salti. Qualora, non dico una storia, ma una cronaca della poesia di oggi possa venir fuori da questo libro, verrà proprio da quei salti.

MAURO BERSANI

NUOVI POETI ITALIANI 4

Ma il vuoto fu scarso a sparire

di Maria Angela Bedini

Maria Angela Bedini è nata a Buenos Aires, dove ha trascorso l'infanzia. Laureata in ingegneria elettronica, svolge attività di ricerca all'Università di Ancona. Nel 1991 ha pubblicato la raccolta *Essenze Assenze* presso La Rosa Editrice. Le poesie che seguono, scritte nel biennio 1990-1991, fanno parte di una raccolta intitolata *A dismisura terra*.

Nella chiaría

a Daria

temeraria salivi il gelsomino
dell'attesa oltre il cuore
che più non ti somiglia
allora all'incantato passo
rintocchi seguivano d'ala sulle ciglia
muta

salivano parvenze ineguali
(anch'io ero altro d'immenso
e nulla sparivo)
– insiste il gelo sui vetri –
l'anno già corto nel tulle viola

e d'altre stagioni un coro di voci nel marmo
le mani puledre terse e strette

rinvengono giorni
già quasi natale i fiori sui libri la sera
ritornano ore gemelle a incidere
l'ovale della cornice
e dentro le cose il sigillo
ancora trema

come nel palmo di un segreto
che si contraddice
nella chiaría dell'oscuro
tra acque sottili e divise

dell'infanzia che sparí
d'un tratto a falsa via
l'armario di un fuochista
in abbandono

le mille perle della mano
il dono della fronte
perdono dell'infanzia invigliacchita
fuoco di un fuochista nano

i fiori vengono rapaci
io stessa perdo il canto e il conto
delle selve affastellate
come per fallace incanto

dell'infanzia che mi atterrí
per essersi levata credente
miscreduta forse storta
nascevo a una speranza

stesura trame per le rane
luogotenente il niente

il digiuno coglie questa riva
se non ti affacci all'orizzonte
limpido in limpida marina
con lo sciamar dei fiori
per la mia paura volitiva

appariva ancora lo sgomento
non era frutto da strappare ai mori
informa lento il vento della sera

malcustodivo in fiori una pace
solitaria un marmo schivo e vivo

rossificava un verbo puro
colline equilibriste un prato rosso
definitivo

i fiori anch'essi digiuni
t'invitano a essere florilegio
nella mia casa priva di posate
nullatenenza cui costringi
immune

con molto ardore rabbrividivo
ma non in me cresceva l'esca
dei gelsomini – tenerezza da
riempire un vaso

non i piedi porgevo
a questa costa delirante
armatura lenza per i tuoi
piedi principeschi

null'altro che terra potei
immaginare e nel farsi avanti
ciondolavo un fare senza accadimenti

ma tu non batti a questa porta
sono io che abbatto ferri cardinali
per dilatare al vento un'aria morta

e decade nell'onda occidentale
l'abbraccio che ci confuse i fiori
lasciati i mostri fuori
nel dentro della terra

incustodito era il giardino
ardito passasti chino

per queste mappe meretrici
lo sparo già si attenua
al suo rigore
ai fiori analfabeti

musicali rospi vanattesa
sanguinosa la sera mi rinviene

tra lepri sparai
ma il vuoto fu scarso a sparire

ti annunciasti monaco
di tanta sera

nelle metropoli del vuoto
sguinzagliai i cani
alla preda che non c'era
la sua allegria
i miei pasti del domani

ai piedi crescono
suoni di malva
la sera calva ti trattiene
pervinca fresia di tanto bene

era il potere del buio
che attanagliava le mani
ti annunci e l'estate
è salva

il buio ha scoiattoli
che non conosco
come te sdruccioli e pari

conto sulla cavalleria
di questi sciami
andante stretto e nel ritorno
mi porto appresso l'ombra

inonda questa sera
annega nel vuoto e nell'intero
che ero per tua virtú
ma già traspare un falso vero
che mi adombra
l'inizio fu dell'alba
– ignorai i cani

in tua assenza
il tempo sfodera i suoi rospi
malignamente mi dispone
serva e torva ai pranzi domenicali
cifrai parole al tuo riguardo
rimai armai sponsali

non è angelica la mia penna
non sono angelica quanto mai
mimando il vuoto te ne vai
una sera fresca e chiara

obliquerà in un senso l'esserci
io spero nel suo grido nubiscente
discendo a viva rete che mi impronta
e tace come sempre del suo vero
ma niente aggrappa niente
s'infutura che io veda iconica
girare nei frattali a perdersi
al suo vero non credo mi
risponda del tuo la pioggia
ha forti i sensi di sparire
né trattiene in ozio la sua cifra
dura arma a futurire
ho questa gloria impari quale pena
e l'ammutinamento delle sillabe
mio flow-chart
ch'io ti veda fatto carne ritornare
per i vuoti della mia prigione
e sillaba tornare a carne
dall'ignoto
io ti veda

i segni erano rapaci svolte
per dentro gli occhi trema
il mare rema amena introna
nel suo trono aleggiano i fondali
mi rimbrotta cose imputate all'essere
spiazzato dappertutto e disuguale
e tu ritratti a vessazioni spente
quant'altri mai per ogni sempre
a larghi suoni mente nella notte
già si pente il mare

come s'invola lenta cifra
vociferando alle storture
a volte

e poi a questo sforbiciare anemico
tra gli anemoni ci anima a corta
eternità
quel tuo girellare per l'altrui l'altrove
l'altro ci schiacciano le volte della pioggia
non poggia sulle vene dell'inverno
– quale inferno per la nostra sorte –
quali assorte vele catturai
quale morte naviga tra le finestre
nell'universo che vagai
tra le fiorite sfere del tuo diverso
e cosí a schiere di globuli il silenzio
ci calpesta al bordo di parole glabre
ingloba e sparge chiodi nella soglia
ma tu ingrandisci e salvi a cauta gloria
di saperti
e se

nelle tare dell'alba
vietamente annaspare
un terramondo di ombrelli garantiva
pace anfibia soccorrendo ponti
ma non a trascinarti tra acque
non lineari nel trambusto
che ti traduce ad isole mentali
quali fiori innesti assembri
all'ombra
nella pronuncia dell'ombra
la notte era leggera incudine
le sue bussole battono il volto
che ogni volta trattiene la svolta
vera che vaneggiando vola e svolge
e tu passi e raccogli le scaglie di me
le lunghe rincorse ad acqua spoglia
ma forse

nel suo significare
la strada assale le tre veglie
non ti crea l'aria
nei suoi bianchi asciutti
e tu rapisci l'equinozio
raduni a solipsismo dei fondali
le tasche vuote del silenzio
aromatico il silenzio resta illune
è scritto nelle ruote del tramonto
che monti e lune dalla terra
accadi sempre nella luna
come notturna resto nella terra
la cruna la cupa veglia
invero dovrai rialzare
scricchiolando il vuoto
a foglie spoglie
che tu mi attendi (intendi)
invero

era proteso nelle cose
il senso di un itinerario
(nello sbaglio del buio
s'affoltano gramaglie)
non ti riguarda quell'inchiostro
che officia a raccolta del mio sangue
che tutto resta asperso e disatteso
come memoria a sé ti carica
il largo girellare a soglie corte
al limite dei morti
non riguarda l'aria
ma varia e incide le volte colme
della sera gli orti l'oltremare
fanfare disuguali all'apparenza
i canti i salmi il ferro rotto dei miei
anni che tutti ondeggiano e stralunano
ammutoliscono nel corpo
a schiere piene a plenitudo dei fondali
a cielo marinaio

non ti avvia
– i limpidi lampioni del vuoto
i nani del nulla –
impertervia giustapponevo le corsie
al lembo dei tuoi occhi
e il verde dei prati ronzava
alle finestre
la canicola dei versi mostrava
luminosi cani ma tutti passano
per il bordo dei tuoi occhi
e la pace si appresta alle sue turbe
trilla e tentenna al niente sempre
sale quelle scale e ti ritrova
piú in alto della mente ti invola

al losco della scuola allo scandalo
degli anni ai suoi fucili infesti

ma piú frantuma la peste dell'infanzia
le forme-fionde del tuo passaggio
pace o pece che ne resta
appesa è l'alba alla finestra
le sue voliere affatturate
il volo delle fiere

ma tu vieni
rendi questa luce ai tarli
(cingi i suoi cinghiali)
affolti quella cruna
mentre espettoravo gli avi
e tu mancavi e tutto si compiva
per la via dei tarli e dei cinghiali
tra le canaglie della sera

non la scrittura ti figura
al pari della lontananza
le sue zavorre
estero il verso che ti racchiude
all'entropia
(corre poligama la via tra le pinne
degli alberi e le querele dei viali)
e sono tuoi i corsi i riti
ma poi

(il mare marinava il tuo occhio)
come nobilmente il niente vociava
tra le pinne degli angeli il tuo occhio
ammaestrato ai costi della sera
come candide camminano queste cave
dimore che borbottare è un ricamo
perso tra le querele
o tutto ruotando rimava l'assenza
latente la luna la lima che schioda
e schiude e la tondità dell'occhio
scalfisce e poi finisce
l'onda immonda il battente
che niente ti assicura a questa trina
che prima latente coprivi di viola
le vigne e ora vigili il vuoto
la veglia del vuoto alla fine
di lucidi fiori ti avvolge nei polsi
finché l'ora nei suoi guitti ti adora
e il temporale assolve e toglie ancora
provvisoria facevo dono dei dettagli
d'infinito in limine fetale
verso infinito che ci addolori
dei fendenti tesi alla memoria
tua memoria
e forse

– gli alberi faticavano ad essere veri –
alla morte ti condivisi nei suoi segni
poi del tramonto s'involano
i carri la corte delle finitudini
a parole fonde risale l'acqua
verso l'orrore di sempre – gli incesti
della memoria – che quasi
padre apparivi per il resto degli occhi
e quasi salva la pulcritudine del niente

dietro l'inverno che decade
nelle gore d'ombra
le labbra dell'ibisco declinano
il dono delle tue labbra
mentre intorno il silenzio richiude

sulla schiena dei prati
volavano i tuoi segni rovesciati
inflorescenze d'equisèto
abbandonate

ma piú fiorisce nel petto
delle foglie la luce tínnula
dei mattini e scorre spenta
nei pianori l'assenza
dalle ombrate viole

in forma di morte sommessa
(un altrove, un grido)
come ruscello teso ai suoi rintocchi
giunge il tuo corpo d'arenaria
transita nel solco delle rose

e cosí a salpar radure
ti trova la schiera dei fogli
dai torsi dai fondaci dei mattini
per le brine e le forre
strinate le declina l'istante
che ora t'intorba alle piene scalene
del giorno alle chiuse sonanti
(distanti le voci dal sonno la foce)
e la distanza lucifera nei suoi latifondi
la luce plenaria traduce
le fogge che lenta divide
la foce che aspetta te desueto
a venirle incontro
e come tradirle prima
che numinoso rallenti le soglie
la fretta a tradirle
e prima che

tra i meriti della sera
(se non la luna meretrice)
insorgi nei suoi plettri
straniti i candidi viali
dal fondo degli occhi
risalgono a te che destreggi
e rovesci nel pesto dell'ombra
quale ombra trascini
al buco al chiuso nascente
e indovino (quel niente)
che dopo per piú ti somiglia
(e insorge la luna rastrella
radici) rapisce i suoi figli
quel buco a dorso dei tigli
quel nero dell'orbita orla
la terra (che quasi ne canta
il silenzio) ne implora quel viola
persuadi le spire dell'ora
a lasciare i crinali del volto
dal chiuso del volto
che nasci
semmai

dentro la notte
che ti arresta a quella
devozione
(nei dettami della luce
ti restituivo l'ombra
a guisa dei fioristi)
come affrancarsi
agli ami delle apparizioni
alle sue cose aggettanti
– le nudissime ante –
e dentro il corpo
già respira l'aria
invulvata al losco della penna
(e conosco il fiato andato
della sera che si infilza
ai tuoi fondali)
e la luna fintallegra
non depone al tuo riguardo
– se ne sta stritolata
in segretissimi canali –
fuori del guado la memoria
lancinava i sempreverdi prati
e poi perdutamente
insieme ai nostri morti

vola tra i dinieghi
il senso che ti coglie
– in calici le colombe
tra i seni della terra –
e ogni tempo è notte che
tu venga piano e senza fiato
tra crolli muti e dolorosi
dentro gli occhi
e fiere che si invulvano
alla morte nei fondali
tra guazzi d'erba svelta
e chiude chiaro e preme
nei prati musicati
e s'ode salire quel silenzio
a volte

segreto m'è sbalzato quel vanire
d'averti a sommovero
– severe tacciono le voci ai merli –
e tornano alle fronde i rami
che già per tutto ti ha percorso
nel mistero
e cosí parco
ti sfiocca il prato doloroso
e fiero chiude il cielo
a sé prezioso e giallochiaro
quale ausilio averti e insieme vero

già i lumi i clivi i corpi bruni
e quanto ti declama e quanto solo
rima muto e musico
a te si arresta

cosí decade mai la notte
le ruote della veglia vuote

mai ti aderge alla stranía
del cielo – fallimentare e parvo
e poca cosa desti quelle piume
come lume a divellare il foglio
e la carne resta tra le piume
e spoglio torni per le cose
quale ventura buona
e insieme scura

poi dalle veglie s'alza
il fumo che glorioso attorce
alla tua ombra e ciò
che la rimanda al vuoto
– ancora latita nel buio
la tua bocca –
e già severa brancola la sera

mediale era l'impegno delle strade
a non stranire nella tua visione
e anzitempo averla veritiera
che nel segno bianco di un dolore
sia spartita cosa e alma
questa calma dalle lunghe sponde
quel colore a volte tolto
e nel suo chiuso intenebrano i prati
trascorre a brevi ali la tua voce
bella e non mai detta

così ti disse a volte il sole
per i mattini che fuggiti i prati
resta amena l'ora primavera
(come l'acqua tracima le parvenze
e come desti pegno all'acqua)
tra lune e crune della mia ventura
ti convoca l'inverno
che tutta resto ammanettata nella sera
e lungo il graffio ti incammina nera
alla sorgente
come chiamavi l'acqua
e ti ubbidiva un suddito spavento
– le ore sonagliere i campi fortunali i morti
(averli avuti veri e pattugliarli almeno)

al modo che nel giorno
chiude il cielo io vado
spericolando per le lande
implumi e nei tragitti
non ti esclude che l'assenza
ti espande uguale e così
grande l'ombra e l'etimo
ti compie ad infinito
che sinistramente andando
sdraiata la notte è una ferita
bella e fiera nel finale

cose lumi fiumi madrigali
tutto torna lieve e teme
tra le ombre spunti sposo

Macello
di Ivano Ferrari

Ivano Ferrari è nato a Mantova nel 1948. Ha lavorato nel mattatoio cittadino e attualmente lavora a Palazzo Te. Sue poesie sono uscite in volumi collettivi.

La mia pelle ripulita e triste
il cuore glabro
il colorito bluastro
bene, io sono quello
che stabilisce la commestibilità
dei vostri miasmatici cibi.

Tutti in fila
nudi
appena sporchi di letame
attendono la perfezione
balbettando proteste
il piú intraprendente sodomizza il compagno davanti
l'urlo che si alza è solo un anticipo
la rivoltella a pressione frena lo scandalo
ci sono vacche olandesi
torelli
e qualche cavallo.

Dove nasconderà le lacrime?
Se la domanda pende sul cranio
sfondato di un puledro
sfumo affannando versi
subendo animali e cose.

Nero,
macchiato di infamia
rumoroso e snello.

Ne faccio pezzetti
minuzie di cavallo spezzato
per vendicare mia figlia
(per farli avvicinare alla pistola
li chiamano «Furia»).

La carne morta rivive
nella sua grande miseria
col vento che riporta gli odori
ad un ordine sparso.
La carne morta è ricamata
da quelle sinuose presenze
che gli altri chiamano larve.

Omicidi instancabili
tra incenso e carogne barattate
con l'attesa corruzione dei sogni,
mentre evaporo (sgrassaggio)
cedo parole:
dimostratemi la mia morte
che conosca ciò per cui vivete.

Dal vapore necrobiotico
l'osmosi
chiamata da una archeologica ansia.
Tiepido, annuso il culo
del grosso vitello che mi precede
nella corsa verso l'assoluto.

I ricordi (sparati)
assediano il testone di una vecchia vacca
nella bocca

il sapore è quello che di notte
mi procura il senso di colpa
vomitato col vino.
(Nuvole di sangue si avvicinano
dove cospira la città).

Mi nascondo nella gabbia e aspetto
che la stanchezza lucidi gli sguardi degli uomini
anche se le lacrime non servono
a lavare i budelli.
Poi alzo la falza troncando
aria, odori e pentimenti
che scendono nello scarico con la testa del toro
dagli occhi infiniti e beoti.

Le carnivore gerarchie
si coprono col camice
nel deserto bianco
affettato da coltelli sdentati
mentre inizia l'umiliante avventura
intravedo l'arrendevole teoria
che sublima la protesta
del piú magro fra i cavalli.
Come minatori
strane creature
coperte da tela blu (annerita dal sangue)
estraggono parchi nutrimenti
dalle loro teste appesantite.

Un segreto riempie le tempie pelose
di una giovane manza
e gli occhi infantili lo custodiscono
con qualche lacrima,

una piega rugosa nel suo sorriso
prima di morire
ed è l'unica a non riempire di suoni
lo spazio della morte.
Mi vede (segno il sesso sulla tabella)
e confermo complice il messaggio.
Caricata l'arma
il boia dalle orbite verdastre
gli sorride (giaccio tra pezzetti di grasso)
spara.
I segreti si ricompongono
nell'estraneità della morte.

La merda è colorata
creativa
gratificante (ogni tre ventroni un carretto)
è rumorosa, suadente, intrigante
gelida
quando si ammucchia ostinata nelle grate dello scarico
è docile, è fieno dei ricordi di infanzia
(la vuotiamo in una vasca di cemento)
è rossastra quando ti avvisa di qualche dolore
come un'ulcera al culo;
la merda (la grande vasca va svuotata ogni tanto)
protegge la mia intimità e la vostra
svestita
da qualsiasi pregiudizio.

Il mio fantasma
è di cattivo umore.
Scambio l'urlata sua prigionia
con un sacchetto di polmoni
rosa (striati di viola)
rimasugli
di certezze bestiali.

Poche parole
i pentimenti discorsivi danneggiano i coltelli
è il tacito accordo che ci unisce
quando lo stivale di un addetto
schiaccia l'utero strappato a una bovina matura.
Né ci salva il successivo e scontato
rutto di imbarazzo.

I propagatori di inique nettezze
non ci interessano
siamo proiettati su di un miasmatico percorso
(la tristezza non ci impedisce
di iniziare la macellazione alle sette e trenta precise).

Due dita tagliate di netto
quasi una metafora
il sangue uguale all'altro
le bestemmie, lo jodio.
Un attimo di immobilità, come un ripensamento
poi la delega al forcone
che cerca giustizia tra gli sfinteri di una manzarda.

L'odio si nasconde anche
nello svolazzante martirio
di quella partita di tori neri
dove gli attributi della ragione
sono vani
come il dovere di ammazzarli.

Irritato
dal trionfalismo del sangue
e sazio di natura
roteo gli occhi a cerchio
esteticamente silenzioso
di fronte
all'impotenza dei depuratori.

Dondolo aggrappato alla bestia
con gli occhi sui nidi dove
rattrappiti volatili chiedono carne,
una lingua di vacca sostituisce la luna
alcune gocce di sangue
provano a contrastare il riflusso
di onde senza colore.
Un porco sgozzato mi intima:
parola d'ordine!

Quasi dormendo osservo
mandrie di giovani topi
avventarsi sulla carne guasta,
grassi e senza fretta
sezionano il divino
muovendo dal fondo.
La logica di sterminio
nei piccoli morsi golosi
con cui sbranano i pensieri.

I coltelli si accoppiano
nel monotono colore del sangue
stanchi dei giochi di emorragiche divinità

nemmeno l'esaltante e profonda tunica (pallida
        mucosa)
può ricaricarli di gioia
infiammati dai diffusi enfisemi
giacciono prostrati (e ripuliti)
nel rotondo bidone del tempo.

Per i problemi dell'anima
la sala stoccaggio:
coi quarti e le mezzene senza sangue
i cartellini del sesso
l'etichetta di destinazione
la delazione cosciente della bilancia.
Ci si confessa pestando reni di scarto
schegge d'ossa e strati di grasso.
Piú liberi, dopo, divoriamo
fettine di carne cruda (dei quarti piú belli)
appena un po' di sale
e tanta devozione.

Uomini alati (per puntualità)
al galoppo muovendo appena le labbra
i lineamenti primordiali
gli stomaci dilatati dal sangue
le mani aggrappate ad un infimo male
con l'astuzia sventrante
di qualche sega elettrica,
non saremo vendicati!

Quelle ali con cui
gli enormi bovini
rinascono leggeri e incomprensibili
quelle cervella allineate

prigioniere di colori immutabili
dove certamente si nasconde
la ragione di qualche divinità
quell'urlo
che richiama all'ordine i facchini
che si accollano
i piú pesanti fra i problemi.

Tra una identità decomposta cronicamente
e l'umido balbettare dell'acqua (a getto)
freme l'interstizio
che nell'attraversare i tubi gommosi dell'esofago
sbiancato dal digiunare dei verbi
mi spiana la coscienza rivelandomi che:
la presenza di bollicine d'aria
di vario volume
(in genere da un grano di miglio ad un pisello)
disposte in linea serliata
nei setti connettivi interglobulari
si trovano sovente sotto la pleura.

Cialtroni armati
degli orpelli blandi della crudeltà
guerrieri in tutto fuorché nei lineamenti
affrontano il nihil di un bovino zoppo
che sul groppone ha impresso la «U»
di urgenza.

Da un intestino (di toro)
dilatato e grinzoso
escono suoni ossessivi
come parole
che appestano l'aria (uso i guanti)

cosí che un lacerante silenzio
riempie la grande sala
dove si esibisce la morte.

Li chiamano ribelli
sono i pensieri che valicano
i confini delle pulizie pomeridiane
li chiamano ribelli
perché rifiutano i sepolcri
in cui i desideri sono allineati
con lo scarto (grasso, ossa, uteri)
che va a riempire le trincee
dietro cui i veterinari si difendono.

Sventrate intere famiglie
oggi
lunedí di intensa macellazione.
Una vacca ha partorito un vitello
negli occhi la paura di nascere
il foro in mezzo il nostro contributo
a tranquillizzarlo.

Affrontano
degenerazioni parenchimatose
vacuolari
miocardiche (steatosi)
jaline
amiloidi
ma senza piacere:
i coltelli
metodici e ottusi
si guadagnano il privilegio
di una pratica
solo in apparenza tagliente.

È una cistite purulenta.
Sulle mammelle scorre
il sangue giallastro
nutrimento che mi coglie
nudo negli spogliatoi
latte raggrumato e rosa
nessun pensiero di bimbo
vi si aggrappa
nessuna altalena dondolerà felice,
per questo
solo per questo evidentemente
mi rifiuto di pulire
il piccolo torrente che gioiosamente
corre ad infettare.

La mimica facciale di chi sgozza
non ha un'origine definita
è un processo ossessivo di tipo umano,
inevitabile che mi tremino le mani
quando gli accendo una sigaretta.

I vitelli rachitici
dondolano senza la gioia
degli impiccati per amore
(chi scuoia controlla il numero)
i vitelli rachitici sanno anche di latte.
Vomito controllando il polso di chi li squarta.

L'innaturale naufraga
nella pausa di mezzogiorno.
L'oscillare cauto delle mezzene

con l'asettica retorica del pavimento ripulito
danno risalto ad una materia infedele
alle piccole fughe della natura.

Verità dai grossi labbroni carnosi
(pezzi di ossa e fiotti raffreddati di sangue
seguono l'ansia della mia scopa)
parole dentate come se i se avessero l'anima
decine di lingue penzolano
ormai corrotte dal viola sporco
del mio potere,
è l'ora in cui la morte
si alza in piedi e controlla i battiti
degli organi che le sono sfuggiti,
dei nervi che si distendono,
delle ultime bestie timide
che mi fanno ingoiare emozioni.

L'acqua degli occhi
non ha potere
sulle croste grigie
del muro
ne serve la forza,
basta questo per dare
sostanza all'identità
parleremo poi
della ragione adulta del dubbio
(quando mi sarò tolto gli stivali).

Ho visto strisciare ombre
impastate di umano
e i pugnali disonorare la vendetta;
ho visto dio calpestare un apostolo
per arrivare dopo alla gabbia

e l'aureola
usata come filo di ferro
per convincere un giovane toro a farsi santo.

In bovine ninfomani
sono state viste ovaie
imbibite di seriosità
è dubbio
mancando un esame istologico
se si tratti di edema genuino
o infiammatorio
oppure se ciò si deve
ad un equivoco concetto
di libertà.

Sono io che con labbra a ventosa
incollo la bocca
alla vagina dell'enorme vacca
succhiandone i misteri odorosi
e la malinconica disperazione
io
che ringhiando di piacere
raccolgo il suo divenire
altro
da me.

Non solo
anzi
è quasi un angelo
ciò che degenera
senza risparmio
spiandomi dall'alto di un gancio
malfermo, anche, per via del peso.

Riempiono di acqua i budelli
cantando una canzone d'amore
l'ansia ha il respiro dei depuratori
le sigarette limano gli affanni
i budelli si gonfiano
stringono lo stanzone e la gola (tripperia)
crescono
escono a riscaldare il divenire
catturano
poi ritornano ad inginocchiarsi
svuotati
sopra l'ombra di un piccolo
feto bovino.

Niente addobbi viola
le croci coperte dalle tute sporche
l'incenso deodora altre chiese,
non bruciano candele
solo grasso di cavalli col carbonchio
eppure la santità del sacrificio
avvolge ogni spazio del carnaio
muscoli domati, nervi di scarto
certamente troppo per un dio
con la puzza al naso.

Un retroterra ancora acerbo
per l'appetito della logica
il settore cremazione:
colombi malnati
cani senza contratto
l'anarchia di un gatto
voci prive di gola
stampelle, garze invecchiate,

la sapienza del grande forno
brucia anche l'anima.

Di albe rosse, qui,
non se ne il bisogno
la monotonia del colore
infoltisce l'aria gia pesa,
di tramonti vermigli
non parliamone.
Piuttosto il buio
la sua complicità
nel togliere di mezzo quei musi ossuti
animalescamente rosi dalla bontà.

Qualcuno si chiede se io ami
se durante il giorno cerco
o risolvo, se almeno vedo.
Quando guardano le mie labbra
o le mie mani
e piú maliziosamente giú, fra le cosce
sento sul corpo le domande
che mi attraversano
come una forca farebbe con la paglia.
Se faccio sanguinare il vento
se trasformo le foglie fredde
in involtini di carne,
se i cavalli bianchi del mio rinascimento
sono esposti sul bancone di una macelleria
non rinuncio alla mia umanità, come voi
del resto.

Su un oceano colorato malamente
galleggiava una piccola isola

le onde spargevano le origini
i coralli cicalavano al tramonto
e i pesci si rigeneravano alla fonte.
Era una goccia di sperma
cadutami nella vasca del sangue
in una mattina
di forte macellazione.

La primavera
di Nicola Gardini

Nicola Gardini è nato nel 1965 a Petacciato, in provincia di Campobasso. Vissuto a Milano fino al 1990, ora sta a New York dove svolge attività di ricerca presso il Dipartimento di letteratura comparata della New York University. Ha tradotto poesia americana (Auden, Ashbery, Emerson) e latina (Ovidio). Alcuni suoi versi sono apparsi sulla rivista «Poesia» (maggio 1994). La sezione qui presentata è la prima parte di un libro, intitolato *Stasimi*, composto tra il 1991 e il 1994.

Stagione, mirifico mistero,
non essermi terrore, ma esempio,
non ansito, ma rendimi destino
la fine del disintegrato soffione.

Perdo, in astronomie di vellicanti
pappi volanti, dove un papavero
dà febbre e suono d'ebbre
lettere diventi, ti perdo, Ebe.

A primavera principia
la tragedia: dolore d'anno a tempo,
l'una con l'altra coincide.
Comincia, per poco, la vita.

Al mare bisognava andare, lí,
davanti al segno di *finis*, riprovare la respirazione,
lí cercare sollievo dall'inverno o dovunque
il punto limite si mostrasse visibile
prima dell'ultimo cambio,
della sublimazione.
E invece era ebrietà di nari,
invece era patimento e pianto;
ferma la macchina nel verde: io e te,
io fiore,
io in fiore,
chiuso nell'irata campagna che diventa l'aria
come tra virgolette,
come sempre nel tuo vocabolario,
nella presenza degli altri,
ch'è ancora, invariato, il cruccio d'infanzia,
da quando è il respiro stesso
sfinimento
e paura di mai vincere
la primavera.

Che cosa succede di scatto in bocca,
quando inoltrata appare primavera,
e di suoni, di canti, d'aria o voci,
per quanto caro, non si gusta cibo
senza che in prurigine sia converso
nella gola il succo, in tedio il respiro?

Si confonde con il fiato il respiro
fecondante dell'atmosfera e in bocca
cambio, mi trasformo in volo traverso
di pollini, divoro primavera.
Ma non cosí ogni giorno miste al cibo
si masticano a tavola le voci?

Non include ciascuna voce voci,
non di queste ognuna mira al respiro
lungo, al coro? Ma, ecco, si guasta il cibo;
diviene ambrosia per i morti in bocca
la pappa dei fieni di primavera,
né la polpa discende sciolta verso

il basso: ché il nutrimento perverso
intride l'alto, bagna delle voci
il sogno di vita, di primavera
l'illude e, lí ferma, passa in respiro
allergico, in smania di fiacca bocca
che digiuna seppure succhi cibo.

Non mai conobbe il palato di cibo
o di lingua fastidio tanto avverso,
che suo possesso fosse o d'altrui bocca
bacio, vaso ricolmo d'altre voci
e, aperto, vaporante, per respiro,
fino al naso, quanto di primavera.

Non la chiamerei ora di primavera:
delle papille vertigine, è il cibo
di un anno che si fa giorno, respiro
in cui sta un omicidio, un'asma, un verso,
tragedia di tutte insieme le voci.
Ma, infine, che cos'è che scoppia in bocca?

Ogni cibo di bava o di respiro,
di voci concorso o ridetto verso,
primavera inala in memore bocca.

NUTRICE
  Cadono in Driadi le Iadi
  senza piovere, venerea
  diventa Venere.

IO

  Non ero malinconico da giorni,
  non starnutivo, ma non pensavo che
  se anche sale la felicità
  d'altro contagia l'aria, altro cambia
  e oggi pago gli amori del mondo,
  i baci dell'ape e del fiore,
  la perfezione che avanza
  con pene in bocca (tra sete e scialorrea)
  e antibiotici per pene:
  tagli in bocca e balanite.

  Finisco in crepa. Per un po'
  sospendo l'uovo, controindicato:
  ahi, lesa ghianda, agitata quercia
  al vento di città, scossi tavolini del bar
  nel sole dove il volo continua in silenzio
  subacqueo dei semi e soffro, affondo.
  Avanti cameriere, mi serva una buona insalata,
  mi salvi dalla dieta di polline e ghiande,
  niente polline e ghiande per condimento...
  Che ha? Non mi darà fiori? Altra zuppa di
            ghiande...?
  Oh, perdona la congiuntivite, Ippolito,
  sei tu! Qual è oggi il menu?
  Che cosa consigli?
  Tu conosci tutti i miei nutrimenti, tutti i succhi,
  me li presti. Tu, ad esempio, di che ti nutri?
  Che vegetali, che noci sminuzzi per te?

Che cosa vede di te la bocca?
Servimi bene, Ippolito, con molto riguardo.
Alla niçoise togli l'uovo.
Non approfittare dei miei muchi,
della visione terrorizzata degli occhi.
Ora ti riconosco ricomposto nella luce
che ti riprende pezzo a pezzo
come dalla mia finestra, dà alla primavera
che rappresenti una soluzione,
me la fa accettare.
Ti perdono, pago,
pago il conto dopo
e oggi mangio dentro, al riparo.
Anzi, oggi non mangio, salto,
salgo a prendere le pastiglie
contro ogni *-ite* e ogni *-zione*,
naturali o acquisite, perché per ordinare
non sono pronto. Sono altrove,
Ippolito, tragico.

NUTRICE
Padre sofferente d'orchite,
madre di vaginite – perse un ovario

CORO
togli l'uovo,

NUTRICE
un bambino

CORO
dopo un anno rinacque in altro pure uguale nel
nome

NUTRICE
compleanno della madre,
col figlio, la Luisa, l'orchidea
in fotografia.

IO
Era sera, Ippolito,
ci abbracciavamo,
era apparecchiata la tavola di orchidee e di querce,
già sorelle,
era la prima scena.

Mamma ti salva dal bombardamento
dei semi il tuo essere stata alimento
e germoglio: tu riesci ad aspettare
il giorno che cambia stagione, ridere
nella tempesta eterna dei fiori,
intatta amarli, non averne orrore.
Ma non ti sarò figlio siccome ogni
derivazione si perde in deriva
di moltiplicazione? Basta poco,
un invisibile sperma perché
la gola mi si volga in fiamma, un dramma
bruciacchi il palato molle. Dolore
sono nel generale movimento
alla gravidanza, divento incrocio
d'accoppiamenti, avanzo e testimone
di imenei, di unioni che in riunioni
risultano, non coppie, ma mucchi
lungo i marciapiedi di filati
bioccoli giallognoli, fallite
congiunzioni, come preservativi
smessi nei parcheggi, meduse in spiaggia
che sciupa la marea e un'ora di sole
riasciuga.
      Attendo, spio la fisica
delle agglutinazioni, l'orbita,
la traiettoria di una microspora:
perpendicolare la frana, niente
cliname: trasversale il crollo, vedo
schiumare la massa molecolare,
bollire il seme.

        Niente accade, niente
cade, mamma, e quando cosa si ferma,
perde o guadagna, mutano i legami,

ogni forma precipita, vapora.
Come me non consola la pozzanghera
te, l'erba fradicia, la foglia aperta
sull'asfalto, appiccicata dall'acqua.

Mamma, guarda il mio pianto, salva questa
gola: mi valga il tuo esempio, il ricordo
che hai di quando mi prese adolescenza,
che mi riprende

a primavera adesso con le piante,
sí che dovresti riconoscere anche
quel dolore che allora misterioso
tu non capivi:

Venere ammala ritornando, tutto
cresce, gli inizi hanno seguito,
niente finisce se soltanto riesce:
passa in raddoppio.

Ero un ragazzo predisposto all'ansia,
la depressione, vale a dire il crollo,
una concentrazione di insiemi
di particelle

verso se stesse con liberazione
d'aria interstiziale per starnuto
e colpo di tosse. Da triste crebbi
minimo, allergico.

L'andirivieni, poi, dei semi diede
la tentazione di cambiare, amare
l'altro in metafora di me e proteggermi,
perfezionarmi.

Il raffreddore mi resiste sempre,
mamma, in prurigine affannata, sempre
manca il coraggio, occupo meno spazio:
resto, m'esalo.

Serve l'oltraggio che muove
dal cielo a dare coraggio?

Maligna manna, folata
di pula, spuma dal cielo,

fantasia botticelliana
rovesciata e vita, triste

segno d'amore che amore
non torna perché è l'opposto

del principio che in carezza
raffina una violenza.

Non parlo. Se apro la bocca,
vi entra, non piú mezzo, pregna

di te l'aria, la voce blocca
e il prurito dalla narice

alla radice del canto
dilaga, invaso è lo spazio

invisibile da naso
a cervice. Si capisce,

se non a parole, a mente
la trionfante voluttà?

Si dice la verità?
Che dice nel suo segreto

la laringe? Tornerà
mai la luce? Rivivrà

il dolce canto? Patisce
tanto, per averne un giorno

miele, a tal punto s'asciuga
la cavità. Deglutisce

la glottide e riarsa, stanca
piano un gluglu fa senz'acqua.

E noto ancora qualcosa di te
vedo ora qualcosa di nuovo che
non avevo di te pensato prima
ma pure non amo meno del resto
l'inclinazione della testa
la sua modestia senza pericolo
l'esilità del collo, l'acqua
che vi scende come il respiro,
linfa per stelo, il trasparente velo
di vetro che ripara il tuo soffio,
la sete che ti riempie, ti fa aprire
la bocca, chiuderla con soddisfazione.
È stata la metafora che esprime in te
il fine della respirazione,
la promessa che intenzione riesca
anche se in me respira solo la fantasia
perché/anche se devo ripetermi
come ti ripeto, come si ripete
l'errore, e ti sbaglio,
ed è la stessa che toglie
ancora, innamora.

(Eriche e corimbi
               principi moltitudini
brownianamente mossi

granuli bianchi e minimi in cui
lo spazio perde)

cammino di traverso il favonio, a fatica,
m'abbraccio, schivando, in sposalizio con l'aria,
seguo la strada, il tuttofoglia che siamo:
perché varia a ogni folata, si ricombina
l'equidistanza, è chiara la stereoscopia,
ogni elemento della gravidanza,
della perfezione,
perché v'abito,
precedo giorno per giorno il colmo,
avvengo prima che si riduca il legame,
s'annulli la forza di repulsione,
si ricomponga in amore l'esplosione del fiore,
e prima che rivoglia bene il petalo
al petalo, corro,
               salgo a casa.

NUTRICE *(tra sé)*
  allegria di madre
  allergia di figlio

CORO
  Viva di sola saliva,
  sveglia, tranquilla, che bagni
  il giorno i fiori, discorri
  con loro

MADRE
                sanno chi sono

CORO
  Porta un po' d'acqua al bambino:
  immobile, s'è svegliato
  pensando d'essere solo.
  Non senti la lingua amara,
  le papille fare secche
  il tuo nome al buio e infette
  che cercano te le pupille
  e per troppo desiderio
  gli occhi non vedon che gli occhi
  nel pianto quando tu infine
  appari e vicino posi
  il cucchiaino ed il calice
  dove il vortice discende
  dello zucchero e sparisci
  riflessa col lampo spento
  del filetto di tungsteno,
  la sua mamma, dietro un vetro?

Ho superato il punto critico, il limite
d'ogni nuotatore: involucri di niente,
segni d'albume, filamenti di grumi
di seme, fibrille in lume,
invocate, temute m'inseguono bolle.
Si vedono apparire, sostare
dove fotosintesi non riesce, non cresce
né pianta né alga,
sul fondo dove luce arriva dalle finestre
con riverbero di paglia innocente.
Si staccano, si spingono
in file, seguono altre a branchi, bolle
in grappoli, in collane, in fili.
Volano, muoiono, mentre
                              mi muovo
in un vapore di garze stracce, in bave
d'uovo spillate per crepe
del guscio, in sfatte ovatte
avanti e indietro
avanzo, vasca dopo vasca,
fantasia dopo fantasia, pratico uno stile libero
che si ripete invece ad ogni bracciata,
sia che prenda fiato, sia che lo soffi, formi bolle.
Cosí mi sposto in acqua in apparente veste di sportivo,
tra le perle di cloro,
nella foschia dell'unico suono
che l'acqua ci lascia,
il battito delle braccia,
il tempo della respirazione,
come ogni giorno,
ugualmente assetato, in acqua assetato
avvengo in solletico di bollicine,
in un'inversione di movimento,

in disperazione d'anfibio
che ora sí, ora no, almeno
                              è riparo
dal resto, dal vento.

(Ci difenda la pioggia, ma io,
nel frattempo, mi difendo starnutendo)

Se voglio che piova, una pioggia forte,
se sospiro lo scroscio, se, che il vuoto
invada l'acqua, riempia fino al fondo
tutti i calici, li spappoli, il fiato,
l'anima, il diaframma riabbiano spazio
e vita loro è perché non respiro.

Per rovescio sia ridato il respiro,
si vieti a pianta odore, che piú forte
tolga gardenia col profumo spazio
all'aria, aroma appresti nel vuoto
genitali incontri, soffochi il fiato,
che incomincia senza arrivare in fondo.

Se non piove, per tanto fieno il fondo
stesso della pupilla col respiro
è punto, inizia il pianto anziché il fiato:
l'occhio si stanca per rendersi forte;
cede finalmente al senso di vuoto
che causa il vedere invaso ogni spazio.

Invece in una goccia vedo spazio
infinito, ritolto appena al fondo
della disperazione che mai il vuoto
fecondazione risparmi, respiro
s'estingua per fato, ugualmente forte
si conservi, sterile sempre il fiato.

Non per riproduzione è fatto il fiato,
non è principio, ma fine: lo spazio
d'ogni piega del palato abbia forte,

invada quindi la persona al fondo
sicché intero sostituisca il respiro
l'allergia: non fecondi, colmi il vuoto.

Il vento, che non fili mosse a vuoto
d'alito, ma d'alimento, sia fiato
ormai libero, ravvivi il respiro
sfinito. E piova, piova, finché spazio
per esso dentro cresca fino al fondo
dove piú di sé il desiderio è forte.

Forte non di polline, ma di fiato
puro invoco pioggia che vinca spazio
e il vuoto creato ridia al respiro.

Ippolito, anche conosciuto è il tuo nome
straniero, anche se in te rivedo
ogni antico amore, il solo me stesso
che mai sono stato: e sbaglio,

ancora è necessario credermi
altro, ripetermi altrove
e il solo fine è non riuscire
in niente, non adolescere,

essere te. Odio le unioni,
le inutili congiunzioni
degli umani e del mondo,
gli epitalami, vani stasimi

che escludono l'identificazione,
la impossibilitano promettendo
la propagazione: la differenza.
Variare il mutamento, farlo

ripetizione sia il telos.
Voi soli amori di adesso
e di un tempo mi date esempio.
E sia continua la ripetizione,

tolto spazio tra i momenti, si tenga
sul flusso del respiro unico
senza pause, sia apnea contraria,
bocca sulla bocca dell'aria,

il respiro perpetuo spiro,
non si arresti l'atmosfera che siamo
di noi stessi, niente ritmo,
ma intenzione: note infinite

insieme, una sola, una parola.
Sia al limite la possibilità
di variazione il posto di una lettera,
voce questa di un corifèo diverso,

di tutti quelli che dentro ci stanno,
cantiamo in lettere, siano
lettere pioggia, goccia ognuna
di alfabeti verticali

in discesa, senza scambi,
divagazioni. Niente vada perso
in questa lotta tra fecondatori
e fecondati. Poco n'esca

per caso, nessuna ironia,
infine la verità, la tragedia.

Grata d'ombra
di Cristina Filippi

Cristina Filippi è nata a Monza nel 1968. È laureata in lingua e letteratura cinese all'Università di Venezia. Ha vissuto per lunghi periodi a Pechino e Nanchino.

chi cammina
la notte
per fuggire
o morire di sé

– vivere
chiuso –
un pugno secco e caldo

luna:
della notte
il segno
sfiatato

l'eco
del tuo rinascere
profilo
da un canale
al vagone mozzafiato
guardami
e di me di'
solo il sogno

strappo di luce
coda di cicala
improvviso fuggire di
steppa dove
arriverà la mano?
nel cumulo di silenzio
pittura di mura chiare

rose spezzate
i tuoi occhi
cavi segnati
dalla luce lunare
pianure sgombre d'orizzonti

mani forte contro tempie
scavare
«dentro mi risponderanno:
battendo contro le ossa
o soffiando in un flauto di sangue»
atroci prolungati concitati
tempi d'attesa
immobilità
l'essere intenti al proprio gesto
carne si spezza
stanche dita penetrano
ad esplorare
fragili nervature
sottili capillari
schieramenti di cellule
cranio spezzato

in ogni caso
basta una
goccia d'acqua per
ristabilire l'equilibrio del silenzio
e non è già piú un silenzio
piuttosto un tacere
a ventre scalzo
e occhi di fuori

(o è il lobo della luna
ad impaurirmi
ferita
di silenzio
e labbra?)

e dirselo non basta
nel silenzio improvviso del
tappeto coperto sí
d'un corpo bianco di limoni
e sogni
ma tanto leggero da parere vuoto

ruggisce
il colore
delle foglie
autunno ferroso
la mano
intreccia
bianche pozzanghere
nebbia a scacchi
dilatati
cuoio e vernice
passo passo
congiungersi
alla nuova alba
dai capelli
pioggia e benzina
fari
ricercano
e l'autostrada rotola
serpente
affacciato
allo strapiombo

urgenza molesta
previsione felice
di scrittura compiuta
la chiave dell'ora
la chiave dolce
carpita
d'una forma chiara:
margherita del segno

gioco
gracile a gambe
di fiato e luce

– leggero passare
su prato –

oltre la grata del tuo sorriso
un bacino di biancore

D'acero la freschezza

stendi
sotto il cielo
la tua rotondità
evapora
ad ogni respiro
lascia che il corpo coli
a rivoli
fino al lago
muta ogni capello
in dolce filigrana
con te
calma
la nube
distende i suoi fianchi

– di te –
la dimenticanza

(braccia
spiegazzate
sul bordo
dei prati)

Lago Baikal

piatta azzurra mano
roventa la vista
ed instancabile predice
a chiazze la superfice
scivola immobile
scultura di vetro e argilla

piccole biglie di senso
distribuite equamente
su avvisaglie di quotidiano
tremule ombre
di sbieco
suggeriscono possibilità
ma infine
(traspare mai un infine?)
rettangoli chiaroscuri
sul palmo di zingari nudi
muri e neppure piú quelli
giocosi di nascondere
niente piú che un torpore
solenne irrequieto
niente piú che un interrogativo
scarpe
seno
sole
niente piú

oro
arso
di sabbia
brusca
l'ombra del pino
sulle mani

a. s.

tua schiena lucida
di segni e seni
tuo ristare scuro
di lisci capelli

non un colpo in fila all'altro
ma un'eco ripetuta di
pece e saliva
la sosta della vita
(burrone giallo di luce)

è un rantolare
aspro e acceso
uno stringersi i polsi
senza fiatare
come grata d'ombra
un'altra ora
si scioglie sorda
sul bordo del bicchiere

muta il colore dell'aria
al crepuscolo
doni profusi
la pelle
ghiacciata
è instabile
presenza

piano
ritorna
alla tua
dimora
di te
di me
(tregua del
grembo)
so già
abbastanza

Da muro a muro
di Elisabetta Stefanelli

Elisabetta Stefanelli è nata a Roma nel 1965. Giornalista: scrive per la redazione culturale dell'Ansa e per «Il Giorno». Ha curato una scelta di racconti di Vittorio Imbriani, un volume di opere di Ippolito Nievo e un'antologia che raccoglie le pagine erotiche della narrativa italiana (di prossima uscita negli Oscar Mondadori). Suoi versi sono stati pubblicati sulla rivista «Il Cavallo di Troia», n. 9 (1988).

sveglia
rumore intorno
desiderio nell'aria
chiuso

non ha parole
che carne

Punto di svolta
se pure l'angolo è nella notte
dove il controllo
ha bloccato lo sguardo.

La combustione
lenta.

Consuetudine
con figura rovesciata
al colmo del liquido
per illanguidite quotidianità.

Eccessi
da non ripetere.

Negati all'ombra
nell'accecante
aggrovigliato emisfero,
distanti
per la città che non risuona
come distratti e fumosi festanti.

Grandi fiocchi di luce
inadeguati
al dolore del tempo
alle orme distillate
ma evidenti
come piccole gocce di pioggia
trasparenti
nel vetro.

delicato caldo
brevemente sotterfugio d'insieme
nell'immagine lunga del giorno
chiaramente nato
teneramente solo
disteso
al respiro ampio
della voce che stringe
nervosi sensi
segni, forse d'amore
allo spegnersi intermittente dell'aria
non veduta palpebra
mio cuore.

Nuvola intensa d'alba serrata intatta
nel tepore maturo del tuo corpo abbracciato, sparso
all'affrettato disordine dei desideri.

Metallo
non grata che oscura
ma fibra
tessuto
sostanza stessa
che scorre dilatando gli estremi.

Brucia
mani e piedi in crescendo
– enormi gonfiabili rosa –

Troppo lungamente inseguita
imita – silenziosa – una deserta deriva
per isolati confusi
tra incerti contraddittori
con ombre di contrasto
da muro a muro.

Muta
tracima passato
ma non è limite
scavato intorno.

Consuma concentrica
e sbadata.

Non è familiare
– perché io non c'ero –

Veduta d'ombra
al vertice del cono
per un cupo abbraccio.

In fondo
nero rimane.

senza forza
scivolata lungo labbra

aspetto
l'attimo della disfatta evoluta
fremito
rivelato dimesso

ora

che attraversando stanca
respiro
abbandonate voci

Soli a scatti
nervosi
ripetuti
sull'asse della strada
in bilico.

Come liquidi
forzando una fessura
che non vorremmo penetrare
ci ritroviamo invasi.

(il casco tropo stretto
stringe alla gola)

Filo concorde
si avviluppa basso
detto non detto.
giochi al rimando.

Soli
comunque insieme
aspettiamo la meta
sapendo che dentro
rimarremo uguali.

Ora la carne mi prende
(il nulla ci trova distesi)
come un ammasso, oceano
della mia pelle
corpo.

Minimale
di Daniele Martino

Ouverture

Ditemi Sebastiano e niente santo
trafitto come sono
da certe fasi rem impertinenti
da liminali amplessi in atmosfere
che sono poi al giorno peracide e nocive.

È facile languire per vaghi luoghi estivi
per puro blu di gore cristalline
(sensualità dell'es cretino e soliti calori).

È un guasto certo è un chip
che ora dissente
che insidia il mio plateau
il roseo palinsesto
l'astro vettore, il bene propulsivo
la vita insomma densa ed emotiva.

Perché ora improvviso tutto sfora
perché non mi ha futuro il sonnellino?

Sbrigliati e rischia smorto ego sfinito
e guardami su tu moglie levantina
mostrati nuova a tempo bossa nova
liberami sibilla implodimi nel gorgo
ridammi la promessa il primo patto
che avvisa del gorgheggio di un bambino!

Il maestro

La cerca del maestro
talvolta è sport gravoso
e gravido d'amaro.

Se leggi soprattutto a filtro i ruoli
vedi molte parole fuori corso
bugie innocenti a spasso per lavoro
minuti d'euforia
due o tre aforismi strambi mezzo idioti.

Ma poi purtroppo
dentro nelle pieghe
nel qui pro quo del finto
del famigliare surrogato stinto
ci vegeta e geometrico sviluppa
virus di ceppo duro e senza cura
sospetto che contrai per endovena
o per rapporto asprigno in sentimento.

Qui non è tempo
piú per qualche idillio
qui tu ti sbagli
caro il mio io
furbetto e ricettivo
paga lo scotto
le ore sono otto
sotto col giorno
ignoto e galeotto!

L'isola del vero

Frugando infine i giorni tutti uguali
cosa ritrovo e dico tutto mio?

Forse questo grottesco e molle male
che ogni mattina dorme sotto pelle
e nel tramonto sveglia il vecchio errore.

Oppure il sentimento che mi pone
supino lungo il limite piú estremo
di un certo postmoderno minimale.

Mentre contemplo già la ricaduta
dopo ogni notte recito fiducia
amo riconvertirmi all'illusione.

Ah solo mi sorgesse la parola
estrema e senza appello per chi ascolta:
un lampo persuasivo di sublime
che scatenasse l'isola del vero!

Poeti

> Ah, quanto sono stufo di tutte le cose
> inadeguate, che dovrebbero ad ogni costo
> essere un evento! Ah, come sono stufo dei
> poeti!
>
> NIETZSCHE, *Cosí parlò Zarathustra*

Evitando di scrivere versi
speravo in un virile divenire
e invece intorpidito mi ritrovo
ancora in questa stessa selva oscura
vantandomi di salmi inascoltati.

Poeti.
    Ressa di monologanti
che gemono abbordabili dolori
(inutili vertigini intuitive...)

Quale ora sia io muto o inanimato
solo m'aggrappo all'unica salvezza:
alla serenità sofferta (alla saggezza?)

Il Libro dei Mutamenti

Getto le tre monete ed il cifrato bronzo
tintinna poco in vero (è commerciale)
parlando al ventre fattosi mentale
quasi mollezza in spirito di bonzo.

«Il sempre uguale e stabile nel tempo»
è vero è qui acquattato in sonni a balzi
in quel sentire l'aria che si ferma
a mezza gola tra le piume d'oca.

Come mi sono sempre uguale ancora
cugino primo dei gaddiani brocchi
instabile tra voli e spleen barocchi
circonvoluti umori e amari lazzi!

Spesso ristretto a gioie dolci e corte
ad ansie macro e micro scopi che
si creano anse chete e laboriose
dò dentro a queste evaporanti scorte.

Uomo certo di fede incerto oscillo
tra le fitture acute (pineali?)
e la fortuna che mi tocca amare
nella pulita (etica?) mia vita.

Senso inverso

Sí, ora mi sfuggo nella nebbia, a notte
fuori di strada e cerco intanto un tasto
che mi accompagni alla tua voce, amore.

Sono una forma stanca che si affonda
nella desolazione piú sottile
nella ripetizione a prova dell'azione
che mi riporta agli occhi questa vedovanza.

A croce in senso inverso ci siam persi
verso città del centro... già... il lavoro.

Quasi ora piango, donna, e piú non sento ormai
alibi alcuno a questa fanciullezza
perduta in una sconfinata crisi d'astinenza.

Il risveglio

Nel primo solido tepore io vivo
nella dolcezza di cinguettii imminenti.

Dentro ai dolori articolari in dorso
oppure in canti piú inseriti (algenti)
circola ancora il rivoletto nuovo
la primavera o tempo vero del ricorso.

No non so piú cosa son cosa faccio
non brucio piú né nobilito in ghiaccio.

Vado aderendo al piacere animale
a un senso sveglio abbagliante umorale:
sono un budello di muscoli opachi
che ha il suo risveglio umiliante, vitale.

Minimale

Nei sogni e a intermittenza nel destino
(la stessa lingua che non parla chiaro)
prendono antichi stadi le emozioni.

Di fronte lí che accenna e mi rapina
raccolta in una danza sediziosa
la Tentazione (vergine banale).

La musa è la natura che innamora
(e il labbro di una febbre che si schiude)
giú a fondo a fondo nell'abisso ancora.

Coincide col sussulto inerte (assorto)
afflitto da un malessere spettrale
mentre un mio me a metà già si rincresce.

Ecco: sfrondato in palpiti il mio volo
(ch'era virtuoso e quasi generoso)
spira nel tuo silenzio triste, o Seduzione.

Elegia

> Catturateci le volpi;
> le piccole volpi
> che ci rovinano le vigne
> proprio ora che sono fiorite.
>
> *Cantico dei Cantici* 2, 15

In questa notte immobile (ancestrale)
l'aria ha un respiro lungo senza brezza
e nella corsa arriva l'erba erosa
quasi nel petto arasse una purezza.

Per l'armonia gentile di uccelletti
filtra il mio acerbo amore coniugale
prima che nel teatro degli affetti
reciti ciccia pargoletta e rosa.

Ritratto di se medesimo

Ricordo una promessa. Non antica.
Invece sono qui. Fermo. Imballato.
Intorno mi rincrescono le pile
di libri (e chi li vede?) e dischi e cose.
Chi riesce piú a difendersi dal male
se afflitto sino al tedio dal virtuale?

Lasciatemi ai trent'anni piú imbecilli
perduto dentro un vespro personale
(tutti smarriti i vergini sapori).
Sí, sono inetto! Un niente di vapori!
Un resto mal contato! Un destinato!

Maligno ed aspro e isterico e terragno
odio me stesso e il mio falso pudore.

Passio / exaltatio / ad libitum depressio
sono il mio pane, il trittico morale:
e sentimenti e vincoli e tormenti
dileguano in orgoglio di intenzioni.

E cosa sedimento poi? Eh? Cosa?
Proponimenti vani. Perdizioni.

Lettera ai famigliari

Anch'io l'esca amorosa ho dentro il petto.
Ascendo e m'intervisto con accidia.
Mi sto mandando a monte. A un Monte piú Ventoso.

Dov'è dov'è il mio dove? E il giovenile errore?
Se quanto piace al mondo è breve sogno
ben venga la vergogna: io me lo sogno.

Respiro il mio Mistral piú letterale.
Provenza: spettro, archetipo mediale
eco di Laure e valli chiuse e attese.

Ma che occitane coincidenze estreme!
Mireio è la radice che nativa
altre radici mi inviluppa (e schiva).

Les jours de sable

> Vous avez choisi de m'écouter, alors sui-
> vez-moi jusqu'au bout..., le bout de
> quoi? Les rues circulaires n'ont pas de
> bout!
>
> BEN JELLOUN, *L'enfant de sable*

Dans cette nuit ferme, muette, suspendue
sur l'attente du frêle souffle de l'aube
je ressens la longue caresse de tes doigts
ma course légère sur ta peau (peau de marbre pur et nu).

Nous sommes ici. Entre songes et mensonges
qui haïssent le sommeil et parlent. Parlent.
Non! Nous n'aurons jamais de nuits infinies
ou de couchers de soleil romantique ou réveils, solitudes...

Les bouches rouges, mouillées de tendresse
dessinent le cercle dangereux du destin.
Douceur du bois... douleur du temps...
Au bout des baisers le but de nous deux.

Complainte

> Narcisismo: quando si diventa troppo vecchi per credere nella propria unicità, ci si innamora della propria complessità, come se strati di bugie potessero sostituire la verde illusione; o i sofismi del fallimento la puzza del successo.
>
> FOWLES, *Daniel Martin*

E quante arsioni e capillari errori
vanno scartando folli e sí, leggeri
quanto tradire a molte fedi oppure
darsi a piú verità miste a catarsi!

Cosí è la vita? È questo dentro e fuori?
Trama che strappa e brucia perfezioni?

Cos'è virtú e cosa onore e cosa
arma di piú una via piú pura al cuore?

So cosa sono: un soffio che si perde
ombra che aspira linfa agli equilibri.

Remedia amoris

Davanti al monitor c'è un me. C'è il padre.
Un'eco in bianco e nero inquieta e punge l'Es
tergendogli il cristallo della cuccia:
ecco le dita e il cuore e polpe ed ossa
sino al profilo dolce, alla boccuccia, al bimbo.

Filtro di suoni ruota il volto oscuro
e guarda me, riguarda in luce opaca.
La lente trasparente mi trafigge
e dice: «Arrivo dunque: hai già i tuoi mesi estremi.
Io vengo per spartire, per toglierti i rimedi».

Vaucluse

> Perché ogni uomo uccide ciò che ama,
> che tutti lo sappiano bene.
>
> WILDE, *La ballata del carcere di Reading*

Ora sono ridotto a un muschio, a un bulbo
e il tempo famigliare, i buoni riti
sono lo sfondo assente di un assillo.

Disperso tra le fronde petrarchesche
(vano il pellegrinaggio alle acque fresche)
mi infilzo di vaghezze. Mi sconsolo.

Rimpiango di viaggiare. Eppur restare
mi mena solo mene e trighi e pene:
pene che in altro senso ho da guardare.

Sono un natante, un naufrago in eccesso:
bestia che lecca e lecca la ferita
prima che questa morda la sua vita.

Rockgirl

> 2 hell with hesitations
> 2 hell with the reason why.
> Ah girl, the things U make me do!
>
> PRINCE, *Scandalous*

Ehi ninfa nei giardini della villa
dove ti corri sotto il grifo in bronzo?
Ci son qui io con le mie sgrinfie, bella!

L'abbraccio al petto è un po' un placcaggio
misto di tenerezza candida e di rugby
prima che il bacio sia l'ultima meta.

Guarda – ti dici – è lei che si confonde:
non è per te che trema questa rockgirl
in veste di Monroe, di vecchie zie, profumi?

Ophélie, ou la dame aux camélias

Sono ragazza e madre di un fardello
chiuso dentro di me: polpa di colpa.
L'amore che mi ha fatto perder fede
domina gli atti: agisce e non mi vede.

Amore: tenerezza che combina
i sentimenti intorno ai sentimenti.
Amore, che incammina in situazioni
gentili prigioniere di illusioni.

Questo è il mio frutto. Incrocio di delizie
che mi hanno messo in croce vitalizia.
Annego dentro i dubbi. E come Ofelia
galleggio ormai nei flutti (ormai camelia).

Postumi

Io giro e mi rigiro ma sono sempre qui:
occluso e intestinale. Sconfitto. Minimale.

Qual è qual è il mio mito, il punto che perfora?
Son solo un velleitario. Un quid che si divora.

Intorno nel teatro il vinto non dispera:
prova nel varco (i Muri son passato)
va nella corsa e cura l'atmosfera.

Data la vita ho chiuso. Nel dovere.
Galleggio sopra l'acque... le tracce del diluvio...
rovina che è caduta. Caduta già con me.

Postumo! Non vengo che in ispirto:
quando sarà finito tutto, nell'arrivo
protesterò qualcosa. Distratto. Successivo.

Ecce tat-ta

Eccomi qui son qui sono il rimedio.
Ricordi? Ti vedevo in luce opaca
ed ora sono il mem-me il pap-pa il tat-ta:
sono Matteo, la traccia del tuo Dio.

Morbido putto e principe di cuori
ti rotolo il tuo tempo. Sono Io!
Io che amministro il tuo residuo Io:
sentimi come strillo. Vivo!

Ciuccio la pap-pa e inciccio il mio buon viso
agito le mie polpe esilaranti
e dietro l'assolvenza di un sorriso
ti spap-po-lo i tuoi rovelli in pochi istanti.

Il sabato del villaggio, II a

Come vorrei sempre sicuro
restar qual ero! Tutto il mio passato,
tutto il mio cuore chiaro, umile, puro.

OXILIA, *Canti brevi*, 7

Bella di antica grazia femminina
sei tu l'ape regina del paese
abile e vispa, rustica mammina.

I fuchi bighelloni sulla piazza
ronzando pigri, formano il corteggio
ma non è vera, è trucco questa lizza.

Io che qui venivo da appartato
adesso voglio un gioco, voglio un sito
forse già aperto, forse inavvertito.

Ecco la luna e il breve passo e il rischio...
una rapita girandola di dita
e poi la bocca nello spazio ardito.

Io ti conosco. Sei l'altra mia vita:
la ripida, la folle, la stordita.

Il sabato del villaggio, IIb

Ieri era sera tarda (e tu, dormivi?)
restavo sopra un ciglio in riva al letto:
piangevo quietamente. Ero perfetto.

Ero perduto in questo labirinto
di voci, affetti, matrimoni in crisi
e non trovavo il filo, l'indirizzo.

Mancava sottopelle la tua pelle
la tetta rotondetta il bel piedino
che mi aiutasse a amare il mio mattino.

È questa la mia colpa un'altra volta:
chiederti di seguirmi tra le quinte
confonderti con me oltre una svolta.

Cantico mattutino del gallo silvestre, II

> ...le discese ardite, e le risalite...
>
> MOGOL-BATTISTI, *Io vorrei... non vorrei... ma se vuoi*

Tradito, un po' stordito dal tormento
vedi, ti cerco ancora sopra i tetti
con un linguaggio muto e sentimento.

Le tue vecchie canzoni vanno in volo
mentre io qui consumo libri a brani
(ma che mestiere ormai? Non mi consolo).

Non so: «Il mio canto libero sei tu»?
O tutto è breve fuoco, è «confusione»?
Ah stellina, stellina che rovelli sul balcone!

La via del rifugio, II

Le due case nel vallo di confine
mi parlano di quello che cercavo:
la lieta vita vergine di scavo.

L'amore ci bisbiglia piano piano
con qualche slittamento di vergogna
(l'amore è come una virtú che sogna).

Felice dentro un'ora del destino
mi cullo intorno gli occhi nel paesaggio:
ma sí, son vivo, ho avuto qualche assaggio.

Carni scelte

> La carne è la nostra guida, la nostra luce
> nera e spessa, il pozzo d'attrazione in cui
> la nostra vita scivola a spirale, risucchia-
> ta fino alla vertigine.
>
> REYES, *Il macellaio*

È gioco stretto ad arte questo nostro
cimento un po' ancillare e un poco mostro
fatto di blitz selvaggi e di arrembaggi
senza una garanzia di salvataggi.

Sei tu la luce nera, l'attrazione
che mi risucchia lenta giú a spirale
giú nella carne a libbre d'emozione
trappola replicante, fine male.

Io m'apro pigro ai colpi della colpa
e cado mollemente fetta a fetta
mentre una mano scelta nella polpa
taglia beatamente. Bene. E in fretta.

Il sogno del buon magazziniere

Viaggiavo con il sole caldo a lato
basso e radente, dolce tra radure
e ancora ripensavo all'utopia
al falansterio, ai baby in armonia.

Eppure amore pare un altro istinto
un soffio freddo passionale e stinto
che sibila una voce piú sincera
voce di cuore e assurda, forse vera.

Carezze tra le grate... gelosie...
impulsi sbriciolati nelle menti...
canti del cigno e poi ripensamenti...

Lo so che cosa sono i sentimenti
(... forse ti sto perdendo vita mia...):
sono un percorso avaro. Un'avaria.

Il ritorno

Confusa e demenziale sei tornata:
pallida, sconfitta, sublimata.

(Amore mio, selvatica bambina
dalle scarpette spruzzate di farina).

L'anello d'oro a trecce ci promette
forse altre impotenze meno nette?

Ah qui coi figli intorno tutti insieme
noi rabdomiamo intorno a un mite seme.

Vite inghiottite a vite nella rete
ci gongoliamo a mollo dolcemente.

Nel buio ammutolito inesorabilmente
il valzer coniugale ora riprende:
ma quello sempre in ballo sono io
io poeta cannibale di vita
che scuce e strappa con una fatica
che non dà premi mai che non addita
oltre il dolore una purezza amica.

L'enigma

Il cerchio incandescente che teneva
la vita mia compiuta e iridescente
ora è una sparsa cenere, è una rotta
ormai confusa, scotta. È bancarotta.

A morsi sanguinari la libido
mi ha preso per la gola avidamente
e quale quale amore ibrido mostro
e quale donna siglerebbe il costo?

Enigma sotto mente, dissoluto
mi libro come angelico sterminio
che scrive una sua algebra assoluta:
somma di segni che mi dà insoluto.

il terzo posto

di Pietro Mazzone

Pietro Mazzone è nato a Napoli nel 1957. Si è interessato di fenomenologia, in particolare del pensiero di Enzo Paci. Si occupa di critica musicale: il suo saggio piú recente è compreso nel volume collettivo *Le lingue di Napoli*, Cronopio, Napoli 1994. Sue poesie sono apparse sulle riviste «Linea d'ombra» (giugno 1992), «Dove sta Zazà» (n. 2, 1993) e «Pragma» (gennaio-giugno 1993).

... stirava e ascoltava la radio. dalle case
intorno arrivavano di continuo
voci, suoni, rumori. Mariele poggiò
l'ultima camicetta
sulle altre e prese la gonna
da una sedia. La portò in terrazzo, scrutandola
alla luce del pomeriggio. Era consunta,
senza dubbio. Poteva andare ancora in giro
con simili capi
d'abbigliamento? si chiese. Voleva
decidersi
a rinnovare un poco
quel mezzo guardaroba che aveva, adesso che era
primavera?...

... se tu riuscissi
a recuperare quei dodici secondi
di distacco
che ti separano dal gruppo che occupa
il terzo posto
(lo so che è una questione
di cronometro e lo so
che una questione di cronometro
è sostanzialmente
una questione di nervi)...

... dal negozio di scarpe dove lavorava,
Alberto fece una corsa di una trentina
di metri fino all'edicola,
da Giuseppe, per cambiare
centomila lire. Era un sabato
pomeriggio d'inverno e pioveva
a dirotto. Sulla strada
sdrucciolevole, illuminata
dalle insegne dei negozi, Alberto,
con l'impermeabile sulle spalle
e senz'altro riparo, improvvisò
uno slalom fra ombrelli,
passeggini...

...Mariele proprio non riusciva a pensarci: ma come!
il direttore era passato da lei
qualche settimana prima
rimproverandole un ufficio «senza una nota
vivace» (ma tu guarda
che rimprovero, poi!...) e lei si era data da fare:
aveva messo per prima cosa
una bella fotografia di sua madre
sulla scrivania,
incorniciandola
di bianco; poi fiori
alla finestra e in un angolo
libero; aveva sostituito il vecchio
portaombrelli grigio con uno nuovo
tutto colorato, infine quadri
alle pareti e un grande orologio
a muro modernissimo,
in giallo e viola (tutto a spese proprie,
naturalmente). Bene. Quella mattina
era ripassato il direttore: aveva aperto
la porta, si era guardato
intorno (con aria raggelante
da classica mattinata storta) chiedendo
(naturalmente senza neanche
salutare prima): «scusi, signorina – quel "signorina",
poi!... – ha per caso organizzato
qualche festa privata?»...

... tieni presente, però – lo so che tu lo sai
meglio di me... – che la gara
è ancora lunga; e allora,
se tu riuscissi
a recuperare quei dodici secondi
di distacco
che ti separano dal gruppo che occupa
il terzo posto, guadagneresti
in primo luogo e ovviamente
quel tempo preziosissimo,
ma è soprattutto il tuo morale
che ne guadagnerebbe
tanto tantissimo...

... succede cosí che se da un canto in questa
fase il riesame delle
lettere che conservo ha portato
a un assottigliamento molto,
molto notevole di quelle che conserverò, d'altro canto
le cartoline, le frasi sparse, i biglietti,
i messaggi, le frasi-lampo e qualsiasi altro
materiale scritto «minore» accumulato
in tutti questi anni
proveniente da amici, parenti, conoscenti eccetera,
addirittura è in aumento,
perché raccolgo
da corpi separati: da libri, scatole,
cassetti che sto rovesciando...

... se tu riuscissi ad annullare
quei dodici secondi
di distacco (lo so che non sono
pochi, lo so che non è solo
una questione
di cronometro ma di nervi), il tuo morale
ne guadagnerebbe tanto,
tantissimo (lo so che tu lo sai
meglio di me...) e potresti affrontare
successivamente la gara
(che è ancora lunga) puntando
al terzo posto assoluto...

... non era tristezza, o perlomeno non era
solo quello. Marco stava per lasciare
la sua città, all'alba, e si chiedeva
perché dovesse farlo cosí,
quasi in segreto, quasi come la fuga
di un colpevole. E allora non era
solo tristezza: era disappunto,
rabbia. Pesava un accidenti, la sua unica
enorme valigia e mentre, sulle riggiole
umide, i suoi passi risuonavano
quasi spaventandolo, osservava,
nella luce immobile delle 5 e 37,
le botteghe con le saracinesche
serrate, i portoni dei palazzi,
le finestre e i balconi in alto,
con l'aria di chi è costretto
a un bilancio, di chi non avrebbe piú
rivisto
quelle botteghe,
quei portoni, quelle finestre, quei balconi riaprirsi...

...lo so che non sono
pochi, lo so che non è solo
una questione
di cronometro ma di nervi;
tieni presente, però, che se tu riuscissi
a recuperare quei dodici secondi
di distacco
che ti separano dal gruppo che occupa
il terzo posto, potresti affrontare
successivamente la gara
(che è ancora lunga) puntando
a quella che è e resta
la tua meta: lo sai, lo so che lo sai
meglio di me, il terzo posto
assoluto,
significherebbe la qualificazione...

... fosse stato per me, avrei salvato poche,
pochissime cose; e in effetti poi
cosí feci: bussai alla finestra di mio zio
– era notte
fonda, ma lui non dormiva – e gli dissi «guarda,
tanto lo so
che non ti offendi, ma Milano è uno schifo;
preparo le valigie in un attimo, me ne vado»...

... non ho capito: l'Ambasciata organizza incontri
rivolgendosi solo, strettamente,
ai connazionali? Questo vuol dire che l'invito
non può essere esteso
nemmeno al proprio marito
o alla propria moglie. L'avete giudicato
offensivo? Anche secondo me...

... alcuni uomini vanno presi – e condannati
e buttati a mare – per quello
che sono (due punti: dei farabutti). alcuni altri
(ce ne sono pochi ma cosí pochi
che puoi anche non incontrarli mai) sicuramente
sarebbe giusto iscriverli
ad un'altra categoria che però non è ancora
stata inventata. cosí, poverini,
anche loro prima o poi uno li butta
a mare. Adesso smetto di scrivere
perché il caffè è salito e il film sta
per cominciare. mi rispondi presto? un
saluto a quella guardiana del faro
di Mariele. baci. Nina...

... il terzo posto
assoluto,
la qualificazione, è e resta
la tua meta; prova a non pensare
ai giudici di gara,
prova a non pensare
al tuo ginocchio, prova
a non salire piú
sulla bilancia
dieci volte al giorno...

...«non era ancora cosí dura, a quei tempi, è vero,
          signor Stanford?»
disse Lucia, e mise fra le mani di quell'anzianissimo
          signore
inglese che da tanti anni ormai
(per motivi che adesso sarebbe troppo lungo
stare a spiegare) risiedeva nel nostro paese, un
          pacchetto-regalo
sottile, di forma rettangolare, che conteneva
un compact disc. «'The Wibbly Wobbly Walk' –:
Lucia recitò il titolo, e, di seguito,
il sottotitolo: – 'Novelty numbers from the
original phonograph cylinders and 78's'».
SDL 350: la sigla del disco, pure la pronunciò
in inglese per far piacere
a Stanford. Ma, in breve, finí male. Il vecchio
guardò un po' la copertina bellissima di quell'oggetto
          di cui
tuttavia non sapeva che farsene e cominciò
a brontolare, seccatissimo: «lei, signorina, volere
adulare me ma in realtà perseguita me; lei convinta
io essere unica persona al mondo possedere
foto sua madre bambina. se *essere* vero io darei a lei,
non bisogno regali, ma *non essere* vero...»

... in questa micragnosa
città il mare è naturalmente
molto piú sporco e molto, molto
meno technicolor che dietro questa
cartolina. ho scritto a mariele,
due volte, che però non mi
risponde. indaga. baci. nina...

...se tu riuscissi a non pensare
ai giudici di gara,
a non temere
per il tuo ginocchio, se tu riuscissi
a non salire piú
sulla bilancia
dieci volte al giorno; e voglio
dirti anche questo:
se tu
riuscissi
a concentrarti di piú
anche su altri impegni
che non siano solo questa gara...

...Angioletto, mentre passeggiavamo
per la solita corsia
del Policlinico nuovo, mi parlava
di Gabriella
a balzelloni, buttandola
nei discorsi quasi per caso, ma era
entusiasta. «Quella matta, – diceva, – va
in giro
con le scarpe del padre. È arrivata
a Napoli
da meno d'un mese
e conosce piú gente
di me da quando son nato...»

...ora: qui nessuno pretende
che gli uomini
vestano per forza in giacca
e cravatta
e che
le donne senz'altro
indossino tailleurs; la stiamo soltanto
invitando
a rendersi consapevole, a prendere
atto insomma, dell'evidente
sbigottimento che il suo
tipo
di abbigliamento
provoca
sia nella clientela
che fra i suoi
stessi colleghi...

... «guardate, – ci diceva
nostro nonno, – che erano
bastati
pochissimi, pochissimi anni,
era appena il '50, '51, o giú di lí,
e l'unica guerra
di cui la gente
se ne fregava qualcosa,
era la guerra in Corea.
Ma sí. Ma certo.
Proprio cosí: la guerra
in Corea. Scoppierà
o non scoppierà, si chiedevano
un po' tutti»...

... ci demmo appuntamento in galleria
(io ero al colmo della felicità, dato che
provenivo
da venti giorni
in ospedale); «finalmente – mi aveva
detto il pomeriggio precedente
Angioletto, proprio mentre passeggiavamo
per la solita corsia
del Policlinico nuovo – conoscerai
Gabriella». Era da quindici giorni
che me ne parlava; a balzelloni, buttandola
nei discorsi quasi per caso,
ma ne era entusiasta. «Va in giro con le scarpe
del padre, quella matta...»

...Mariele fu costretta
– controvoglia, di un umore nero
che le faceva sperare
di non incontrare
nessuna collega –
a fare colazione
allo snack-bar
sotto l'ufficio,
quello sempre
affollato
in qualsiasi ora,
con specchi grigio-fumo
dappertutto...

... a quel mio amico che, mentre inseguivamo
l'autobus per via Gobetti (l'autista
non è che non ci aveva visti,
eppure ci aveva ignorati)
agganciando in corsa
la portiera semiaperta,
scaraventandoci dentro (come
fece?) anche me,
esclamò (con affanno ma anche
– cosa rara per lui –
senza balbettare):
«appena in tempo!»...

Nuovi poeti italiani 4

Ma il vuoto fu scarso a sparire
di Maria Angela Bedini

Macello *di Ivano Ferrari*

La primavera *di Nicola Gardini*

Grata d'ombra *di Cristina Filippi*

Da muro a muro *di Elisabetta Stefanelli*

Minimale *di Daniele Martino*

il terzo posto *di Pietro Mazzone*

*Stampato per conto della Casa editrice Einaudi
dalla Fantonigrafica - Elemond Editori Associati
nel mese di marzo 1995*

C.L. 13671